La princesse cowboy

Lou Beauchesne

Marie-Ève Tremblay

Dominique et compagnie

Au royaume des merveilles, c'est bien connu, toutes les filles sont des **princesses**. Coquettes, délicates et raffinées. Toutes, sauf une : la princesse Melon-Miel.

Contrairement aux jeunes demoiselles de son âge
qui adorent le rose et les poupées, la princesse
Melon-Miel préfère la boue et jouer au cowboy.
Son plus grand plaisir est d'ailleurs
de manier le lasso sur sa jolie licorne,
Flocon d'étoile. Ce qui, pour une princesse,
n'est pas très bien vu.

À l'école, un évènement très attendu a lieu juste avant
les vacances d'été : le célèbre **défilé** des princesses.
Pour l'occasion, on décore partout et on achète des tonnes
de friandises. Dans les magasins, c'est la cohue :
les jeunes filles se bousculent à la recherche
de la plus belle robe ou de l'accessoire parfait.

Car toutes espèrent remporter le prestigieux
prix de la plus belle princesse.

Cette année, c'est décidé, la princesse Melon-Miel
s'habillera en cowboy et participera au concours
avec Flocon d'étoile. Aidée de ses parents, elle confectionne
son costume et voit aux moindres détails : les pantalons,
la ceinture, la chemise, le boléro, les bottes, le foulard,
le chapeau et le lasso.

Le jour du défilé,
les jeunes princesses arrivent
à l'école dans des carrosses tous plus féé[riques
les uns que les autres. Certaines ont des robes si imposantes qu'elles
ont peine à en sortir. Déjà, on dénombre sept Reines des neiges,

six Cendrillon, quatre Blanche-Neige et deux Belles au bois dormant.
Quelques-unes ont amené leur animal de compagnie. Il y a un lapin,
un crapaud, un cacatoès, une pieuvre et un dragon apprivoisé.

aaaaaaaaa!

Quand Melon-Miel surgit au galop
sur sa monture dans un nuage de poussière
en criant « hi-haaaaaa ! », elle ne passe pas
inaperçue. Sur son passage, les autres
princesses lancent des murmures
de stupéfaction et s'écartent de peur de salir
ou d'abîmer leur toilette.

Rapidement,
la salle de
spectacle
se remplit.
Parents, amis,
professeurs...
tous sont venus
assister au
célèbre défilé.

En coulisse,
les concurrentes se pomponnent.
Il y a de la fébrilité dans l'air.
Malgré les regards et les moqueries dont
elle est l'objet, Melon-Miel ne se laisse pas impressionner.
À califourchon sur sa **licorne**, elle se tient bien droite et
fait comme si de rien n'était.

C'est alors que la princesse Clarinette réalise que son dragon chéri a disparu. Aussitôt, elle part à sa recherche. Impossible de participer au concours sans lui! Finalement, elle le retrouve juste à temps, sous une table, en train de s'empiffrer de **sucreries**.

La princesse Clarinette n'est pas contente parce que
les sucreries, ce n'est vraiment pas bon pour les dragons.
Elle le ramène vite fait en coulisse en le tirant par la queue.

L'orchestre se met à jouer, et le défilé commence enfin.
Au son d'une musique entraînante, les concurrentes entrent
en scène à la file indienne. Derrière les froufrous, les dentelles et

les rubans, on distingue à peine Melon-Miel, qui chuchote
ses dernières recommandations à l'oreille de Flocon d'étoile :
- N'oublie pas de garder la tête haute et surtout,
ne fais pas **caca** sur scène !

Les princesses paradent maintenant à tour de rôle.
Le public est ébloui. Puis, c'est au tour de la princesse Clarinette
et de son dragon de s'avancer. Oh, mais que se passe-t-il?
On dirait bien que le dragon a mangé trop de sucreries.
De la fumée lui sort du nombril.

- Gargblrgblbl!...
Glouglou!...
fait bruyamment
son estomac.

au secouuuurs!

Le pauvre
se met alors
à gonfler
comme un ballon.
La foule retient son souffle. Soudain,
un énorme bruit retentit. Est-ce un feu
d'artifice? Une explosion? Non, c'est un **pet** de dragon
si puissant que la pauvre bête est projetée dans les airs.
La princesse Clarinette, dans une tentative désespérée
pour le retenir, agrippe une de ses pattes. Mais voilà
qu'ils s'envolent tous les deux.

Dans la salle et sur la scène, c'est la panique. Seules Melon-Miel et sa licorne gardent leur sang-froid. Elles se faufilent devant la scène. Les spectateurs sont bouche bée.

Allez hop !
En l'espace d'une pirouette, Melon-Miel se retrouve debout sur Flocon d'étoile.

BRAVO !

Elle saisit son lasso,
le fait tournoyer au-dessus
de sa tête et **zoup!,** elle attrape le dragon.
Puis, elle ramène tout doucement nos drôles d'oiseaux
sur la terre ferme. Quel spectacle! Dans un élan de joie,
les spectateurs se mettent à applaudir.

BRAVO!
BRAVO!
Bravo!
- Bravo!
BRAVO!
BRA

Le défilé se termine en beauté.
La princesse Clarinette est saine
et sauve, et son dragon
se dégonfle peu à peu.

- **Dragounet**, tu fais parfois
des bêtises, mais je t'aime
quand même, lui dit-elle
affectueusement.

Quant à la princesse
Melon-Miel, son courage
et son originalité lui
valent de recevoir
le prix de la plus
belle princesse.
Ses parents et
Flocon d'étoile sont
si fiers qu'ils en
pleurent de joie.

Depuis ce jour, au royaume des merveilles, il n'est pas rare
de croiser des princesses pirates, des princesses astronautes,
des princesses clowns… Melon-Miel est ravie.
Elle peut désormais jouer au **cowboy** et porter
un pantalon sans que ça fasse
toute une histoire. Et, avouons-le,
le pantalon, c'est bien pratique
quand on veut monter
un dragon !